Il y a un cauchemar
dans le grenier

Pour ma fille Jessie,
avec toute mon affection

Première édition dans la collection *lutin poche* : février 2000
© 1998, l'école des loisirs, Paris, pour l'édition en langue française
Titre original : «There's something in my attic», *Dial Books for young readers*, New York
Loi numéro 49 956 du 16 juillet 1949 sur les publications
destinées à la jeunesse : septembre 1998
Dépôt légal : décembre 2002
Imprimé en France par Pollina à Luçon - n° 88396

Mercer Mayer

Il y a un cauchemar dans le grenier

Pastel
lutin poche de l'école des loisirs
11, rue de Sèvres, Paris 6ᵉ

Quand je vivais en ville,
je n'avais jamais peur de rien.
Mais maintenant, nous habitons
dans une vieille ferme
à la campagne.

La nuit, quand tout est noir, j'ai peur

parce que j'entends

un cauchemar dans le grenier,

juste au-dessus de ma tête.

Maman et papa ne s'en préoccupent pas.

Ils disent que c'est sans doute une souris.

Mais une souris est bien trop petite
pour faire autant de bruit.

Une nuit, j'ai décidé d'attraper le cauchemar
avec mon lasso et de le montrer à mes parents.

Prenant mon courage à deux mains,
je me suis glissée sans bruit dans le grenier.

Il n'était pas là,
mais j'ai découvert dans un coin
des jouets que je croyais perdus.

Décidément, il s'en passait des choses étranges…
Tout à coup, j'ai entendu ses pas dans l'escalier !

Puis je l'ai vu devant moi…
Il tenait dans ses bras
mon nouvel ours en peluche.
Il venait de le voler
dans ma chambre !

Je me suis lancée à sa poursuite

et je l'ai attrapé avec mon lasso.
Il serrait mon ours de toutes ses forces.

« Fais attention, Cauchemar,
tu vas déchirer mon ours ! » lui ai-je dit.

J'ai voulu reprendre mon ours,
mais il refusait de le lâcher.

Alors j'ai tiré le cauchemar
jusqu'à la chambre de mes parents

et j'ai allumé la lumière.

Ils allaient être drôlement surpris en voyant
le cauchemar que je venais de capturer.

Mais les cauchemars sont très rusés.
Parfois ils disparaissent
sans laisser de trace.

Demain, il faudra que je lui reprenne
mon ours en peluche.